Prêmio
Outras Palavras | Lei Aldir Blanc
2020

Nuvens de bolso

Ricardo Corona

ILUMI//URAS

Copyright © desta edição
Editora Iluminuras Ltda.

Copyriht © dos poemas
Ricardo Corona

Tradução do haiku para o japonês
Yoshiko Sakamoto

Projeto gráfico
Eliana Borges

Revisão
Melissa Maciel Paiva
Nylcéa Thereza de Siqueira Pedra

CIP-BRASIL. CATALOGAÇÃO NA PUBLICAÇÃO
SINDICATO NACIONAL DOS EDITORES DE LIVROS, RJ

C836n

    Corona, Ricardo, 1962-
      Nuvens de bolso / Ricardo Corona. - 1. ed. - São Paulo : Iluminuras, 2023.
    152 p. ; 21 cm.

    ISBN 978-6-555-19204-9

    1. Poesia brasileira. I. Título.

23-85463   CDD: 869.1
                         CDU: 82-1(81)

Gabriela Faray Ferreira Lopes - Bibliotecária - CRB-7/6643

04/08/2023   09/08/2023

2023
ILUMI//URAS
desde 1987

Rua Salvador Corrêa, 119
04109-070 - Aclimação - São Paulo - SP
Tel./Fax: 55 11 3031-6161
iluminuras@iluminuras.com.br
www.iluminuras.com.br

Nuvens de bolso

Oriente é tudo que passa 9

Haikus 17

Haikais 99

Haikoans e quase mondos 113

Sobre o autor 149

8

Oriente é tudo que passa

Nuvens de bolso reúne parte de poemas escritos desde os anos 1980. Nesse tempo todo, houve muitas pausas nessa produção, pelo fato de que nunca me impusera escrever o haiku por entender que se trata de um encontro poético que nasce de fora para dentro. Por isso, com o tempo, preparei-me para estar aberto e atento à sua chegada. Descobrir isso foi um longo caminho que ainda estou percorrendo.

***

Das leituras orientais, Matsuô Bashô (1644-1694) é a principal referência, estando em *Nuvens de bolso* desde o título, que, discretamente, homenageia o poeta japonês, fazendo referência ao seu livro póstumo *Oi no Kobumi* (*Caderno de mochila*), o qual, inicia-se com o haiku:

primeiro aguaceiro de inverno –
hoje
chamem-me viajante

O que me motivou a abrir *Nuvens de bolso* com:

primeiro frio
roupas antigas
cheiro de naftalina

Quando escrevi esse haiku não conhecia o livro de Bashô (que em vida publicou apenas um título) e, ao conhecê-lo, gostei tanto da coincidência de kigo (é o primeiro verso, representando as estações do ano, no caso, em ambos, o "inverno") e da palavra "primeiro" que também aparece nos poemas (e em ambos no primeiro verso), que me pareceu uma grata surpresa.

Incorporar os avanços desenvolvidos por Bashô não é uma questão puramente de escolha. É impossível ignorá-los. O poeta japonês fez uma revolução nessa forma poética, mas não sem antes passar pelas escolas tradicionais de sua época – a Teimon e a Danrin –, fundadas na primeira metade do século XVII. No entanto, para Bashô, o haiku deveria evitar maneirismos e também as contagens rígidas, puramente formais, e sim buscar a beleza simples das coisas que, segundo ele, eram decisivas para inserir essa forma poética mínima como uma percepção espiritual do mundo. Por isso, não demorou para criar a sua própria escola em 1680: a Shômon. Há vários haikus que exprimem ousadia e inovação do poeta japonês em seu tempo, dentre os quais destacarei um que é menos estudado entre nós, mas que é especialmente emblemático, dada a ironia com que Bashô tratou a rigidez da forma fixa, um assunto que, aliás, repercutiu em nossa época:

a chuva de verão
faz as pernas do grou
ficarem mais curtas

No original, esse haiku conta com 5|5|7 sílabas, ou seja, duas a menos do que a regra, uma subversão bem-humorada em relação à contagem clássica de 5|7|5, pois, somente com a contagem crescente, permitindo que as sete sílabas pulassem do segundo para o terceiro verso, é que Bashô consegue a imagem perfeita da água subindo pelas pernas do grou e "diminuindo" o seu tamanho.

Entre nós, considerando as diferenças abissais entre as línguas portuguesa e japonesa, a ironia do poeta japonês nos diz mais respeito ainda quando o assunto é indexar a métrica tradicional de origem japonesa à escrita do haiku em português. Muitos pesquisadores, tradutores e poetas já consagraram a impossibilidade de trazer rigidamente a contagem métrica tradicional para a língua portuguesa sem que aquela prejudique o "espírito" do haiku, aquela beleza simples, defendida por Bashô. A alternativa foi e é o abrasileiramento. Paulo Leminski foi o maior entusiasta dessa transformação. Assim, escrevi:

botão de ouro persa
flor de rara beleza
com mais de 17 pétalas

***

Dividi **Nuvens de bolso** em três partes: haikus, haikais e haikoans e quase mondos.

Os haikus são composições que fiz a partir de vivências e acontecimentos cotidianos e somam a maior parte de **Nuvens de bolso**.

Os haikais são uma pequena mostra de escritos feitos a partir de outros haikus e necessitam de uma breve contextualização: chamei-os de haikais para trazer para o livro a ideia de reescrita, e, sobretudo, brasileiramente, propor o jogo da escrita coletiva, movimento que está inserido no haikai no renga. Na tradição japonesa, o renga é composta de versos encadeados a partir do hokku, versos que podem somar de 36 a 100 estrofes. Mas não se tratava de encadear versos a partir de uma temática que supostamente o hokku sugeriria. Mais do que um tema, no renga havia um fazer coletivo, contínuo, de versos que prezavam pelo fluxo e alternância de ideias e imagens. O hokku é o início do haikai no renga, sendo a composição primeira, elaborada com antecedência, feita pelos mestres ou sob sua orientação. Com o tempo, o hokku foi se tornando independente do haikai no renga, sendo daí a origem do haiku. O haiku é quando a forma se individualizou e se descolou do haikai no renga. Essa é, basicamente, a diferença entre haiku e haikai. No Brasil se difundiu o haikai como sendo a forma independente. Em outros países isso não aconteceu. Nos EUA, por exemplo, sempre foi chamado de "haiku". Mas o fato de ter sido difundido como "haikai" no Brasil deve ser entendido como mais um abrasileiramento do poema japonês. Os haikais inseridos aqui buscam esse contexto, mas apresentam de maneira nova esse encontro das culturas. Eles foram escritos a partir de leituras de haikus de autores que considero mestres, que me estimulam a escrever, a dialogar, e, assim, tratei-os como se fossem "hokkus", afirmando essa característica antropofágica. Os haikais dessa seção também podem ser lidos apenas como releituras, apesar de a minha intenção maior ser que eles contenham a ideia de renga abrasileirado, pela extensão de assuntos, pois são diálogos, versões e aproximações de conteúdos... Na prática do renga o que menos importa é a autoridade individualizada da autoria, valendo mais a criação coletiva, o jogo. Eis um exemplo:

> o sol de inverno congelou
> a sombra do monge
> sobre o cavalo

O haikai acima é de autoria de Bashô, que o escreveu em suas viagens de andarilho. É que Bashô se disfarçava de monge para se proteger de ladrões. Entre nós, esse dado biográfico fez com que muitos poetas, desavisadamente, o considerassem um monge. Assim, fiz o haikai abaixo cuja ironia aparece no terceiro verso:

> a sombra do monge
> sobre o cavalo
> truque que foi longe

Na terceira parte, chamei "Haikoans e quase mondos", reunindo poemas que me foram sugeridos por diferentes leituras sobre o zen, especialmente de koans. Sou um leitor voraz de koans, buscando praticá-los a meu modo, rememorando-os ocasionalmente, em momentos especiais ou envolvidos em acontecimentos que me sugerem a escrita ou durante oficinas que ministro, lançando mão deles como estratégia de ensinamento ou prática. Aqui, sobretudo, são poemas sobre o zen e o "mondo" – no budismo zen, "mondo" é um diálogo entre mestre e discípulo, que se destina a transformar o pensamento em intuição direta da natureza da mente.

***

As três seções são uma tentativa afetuosa de trazer aspectos da poética japonesa para a língua e cultura brasileiras. Finalmente, deixo a leveza de uma imagem que possa sugerir essa antropofagia, que é sutil. A imagem é a da nuvem, ou melhor: o memai da passagem da nuvem. "Memai" significa "vertigem". A nuvem, quando lá está, já é outra, e, ao mesmo tempo, supostamente igual em sua diferença. De qual território é a nuvem? A nuvem, antes, habita um lugar de passagem, é nômade. Conforme propôs Mario de Andrade: "Oriente é tudo que passa e se diferencia da civilização que ora corresponde ao momento".

Ricardo Corona
Recreio da Serra, outono de 2023.

Haikus

primeiro frio
roupas antigas
cheiro de naftalina

tarde torrencial
água mais água mais água
e o mar não enche

janela aberta
olhos também
o dia vem para dentro

outono finda
a formiga leva
a última folha

nuvem ágil
ou serão gafanhotos
no céu?

sob o céu
todas as árvores
menos eu

vento forte
as copas das árvores
dançam violentamente

vai na frente
viver o futuro
eu vivo o presente

o mundo está chato
um filme sonolento
com legendas a jato

meio bugre meu pai
carrega na carranca
olhos meigos

dia de verão
roupas brincam
no varal

sementes da vagem
caem de repente
contam os dias da viagem

dia de sorte
morri o dia inteiro
sem pensar em morte

saída anfíbia
se o tal vírus ocupar a terra
voltemos pra água

libertada
olha para dentro de si
vê o nada

correnteza de vento
nenhuma nuvem
mantém sua forma

vem comigo
entre um lazer e outro
umbigo com umbigo

À Greta Thunberg

natureza amiga
tão amiga que avisa
antes de ser inimiga

sente-se e assista
o mar mal-humorado
água-viva nos turistas

À Lídia Ueta

zona de fronteira
a borboleta pousa
asas nas costas

debaixo do cinamomo
a chuva cessa
canto e alvoroço

dia de aniversário
dei-me um presente
contar ao contrário

vento de agosto
revolução na forma
das nuvens

olhei o sol
até fechar os olhos
bola vermelha

último dia do ano
o mar levou o peixe
desenhado na areia

não sei se cabeça
ou se colmeia
tantas são as ideias

bola de neve
meus problemas
entram em greve

noite blecaute
quantas estrelas a mais
no céu?

outono indo embora
formigas em fila levam
as folhas que ficaram

um elogio
e a lua
cheia

três de agosto
o vento vem
com gosto

maré alta
alto-mar
dança dos barcos

passagem do ano
uivo pra lua cheia
uma onda em cheio

pássaros no chão
pessoas passam
pass
         ares

lua alta
ondas crescem
obedecem

sono com bocejo
o sol já se orientou
último haiku

tudo apagado
o vaga-lume entra
meu convidado

branca neve
nuvem branca
água em breve

neve neve
a novidade vem
em flocos

amarelo-ipê
tão lindo ver-te
sem o verde

lua cheia
lua luz
lua sol

a chuva desce
pelo cheiro
a terra agradece

dia sortido
por onde ando, flores
colorem meus olhos

forte ventania
as nuvens
cruzam a fronteira

deus minimal
fez em sete dias
a humanidade

ui, que frio!
inverno dissimulado
no último dia de outono

noite com fogueira
hieróglifos dançam
escrita cintilante

voo distraído
paisagem-armadilha
no muro de vidro

sabe o indígena
do verbo que brota
em **Ama**zônia

Ao Carlos Roberto dos Santos

o morador de rua
me encontra com festa
na Curitiba nua

à Mai Fujimoto

tarde de encontro
café em xícara de chá
sol e chuva

céu memai
a nuvem passa
azul profundo

pé na estrada
lendo nuvens
no livro azul

a tua presença
feito sal no mar
élan vital

manhã minimal
uma réstia de luz
ilumina o bonsai

na outra margem
ela vê duas luas
cega de tudo

crepúsculo
negras nuvens
céu expressionista

pequena nuvem
surge de repente
sombra imensa

inverno rigoroso
siga o voo migratório
do pintassilgo

o vento cruza a fronteira
deixando pra trás
o alarido do cata-vento

primeira manhã
a dor se acalma
amor de mãe

última rima
cisma antiga
destruir minha obra-prima

dia assim
clima temperado
as dores dão um tempo

fora de nós
nasce o mundo
ao ar livre

sexo das flores
multiplica o diverso
em formas e cores

café com a mãe
aqui e agora
bate o coração

a planta faz atmosfera
em parceria com o sol
senão o planeta já era

imersas na atmosfera
a sensibilidade das plantas
quem nos dera

a casa muda
ao ruído de mãe
a casa não muda

as flores mitigam as dores
elas me dizem seu nome
explosão de formas e cores

feito o cabelo
que o amor cresça
sem que se perceba

feito as unhas
o ódio cresce
sem que se perceba

estou à míngua
só eu e a lua
que sorri pra mim

os olhos da abelha
já veem
o fim do mundo

o raio se exalta
o relâmpago se ilumina
lua minguante

país dos raios!
mas que raios de país!
onde está sua luz?

o ano morreu
sabe o ano-novo
que morrerá também?

lua de sangue?
mas a guerra
é aqui embaixo

olho pra lua
quarto minguante
e retribuo o sorriso

manhã triste
a gota de orvalho
está caindo

Haikais

Diálogo-renga com o haiku de Matsuô Bashô (1644-1694): a chuva de verão / faz as pernas do grou / ficarem mais curtas. Trad. Joaquim M. Palma.

botão de ouro persa
flor de rara beleza
com mais de 17 pétalas

Diálogo-renga com o haiku de Issa Kobayashi (1763-1827): vaga aqui / lume ali / o vagalume. Trad. Alice Ruiz.

amor vaga-lume
uma luz dá à luz
a outra luz

Diálogo-renga com o haiku de Matsuô Bashô (1644-1694): rodeado de amigos / finalmente digo-lhes adeus / imerso no outono de kiso. Trad. Joaquim M. Palma.

dia de chuva
deixo o amigo
sem choro

Diálogo-renga com o haiku de Matsuô Bashô (1644-1694): agradeço às flores / pelos dias aqui passado / – adeus! Trad. Joaquim M. Palma.

é hora de seguir viagem
dou adeus e agradeço
às frutas do lugar

Diálogo-renga com o haiku de Yosa Buson (1716-1783): Ouço passos vindo / nas folhas caídas: os / do meu convidado. Trad. Sérgio Medeiros.

primeira manhã
pisei na folha seca
som do outono

Diálogo-renga com o haiku
de Yosa Buson (1716-1783):
A lua vai minguando / até
não sobrar mais nada / além
de um ar frio. Trad. Sérgio
Medeiros.

a lua mingua
escuridão
profunda

Diálogo-renga com o haiku de Matsuô Bashô (1644-1694): o sol de inverno congelou / a sombra do monge / sobre o cavalo. Trad. Joaquim M. Palma.

a sombra do monge
sobre o cavalo
truque que foi longe

Diálogo-renga com o haiku de Issa Kobayashi (1763-1827): refletindo / nos olhos da libélula / a montanha. Trad. Alice Ruiz.

montinhos montanhas
aos olhos
das formigas

Diálogo-renga com o haiku de
Alice Ruiz (1946-): vamos fazer o
seguinte / eu brinco de cantor /
você de ouvinte.

**agora é assim
você no palco
eu no camarim**

Diálogo-renga com o haiku de
Paulo Leminski (1944-1989):
lua à vista / brilhavas assim /
sobre auschwitz.

sol em brasa
queimavas assim
sobre gaza?

Diálogo-renga com o haiku de Matsuô Bashô (1644-1694): sem a mãe em casa / para cozinhar o tofu – / que assustador! Trad. Joaquim M. Palma.

meio da tarde
a casa cheira a pão
perfume de mãe

Haikoans e
quase mondos

longe, bem longe
vida simples
monges

Ao professor Daisetz Teitaro Suzuki e à
monja Coen Rõshi

Koan Mu

"Um discípulo pergunta a Joshu:
'tem ou não o cão a natureza de buda?'.
E o mestre Joshu responde:

'Mu'"

tudo muda
perguntei ao meu cão
o que é Buda?

lugar nenhum
é o enigma do koan
tudo se ilumina

dia dos mortos
reverencio em teu tokonoma
o ikebana da lótus

de repente
no lodo nasce a lótus
koan em flor

o universo
um koan do todo
para todos

este koan
água que me escapa
por entre os dedos

o cochilo do Bodhidharma
fez nascer o chá
com suas próprias pálpebras

morada do vazio
chaleira, água e folhas
aroma do chá

enfim, nada
apagar-me em Brahma
pedra de sal no oceano

mochila zen
caminhar sem rastro
passos de pássaro

casa de meditação
a beleza simples
do arranjo floral

diante do butsudan
inicia-se o za-zen
alegria do pequeno buda

vida natural
segredo do sutra
comida medicinal

grata surpresa
o canto do pássaro
nosso teisho

sala de meditação
o monge cochila
keisaku nele

vida no mosteiro
mínimo ao máximo
nem mais nem menos

som do zen
ecoa oco
no koan

sobre o zen
tudo o que se sabe
sem saber

sobre o zen
o mestre prestes a responder
olha o cipreste

haiku zen
sobre o mundo
é apenas um mondo

Para o Senhor do Lótus Branco

teto do mundo
fundo azul profundo
silêncio do dalai-lama

revolução cultural
o sapato de bodhidharma
deixado para trás

a mente é perfeita
tudo está em movimento
a mente mente

a mente
é tão perfeita
o tao apenas se move

o vento não para
o vento é vento
aqui e agora

Sobre o wu-wei

tempestade
o granizo perfura a lagoa
sem atingi-la

Sobre o yu-wei

lua bela
tão cheia
a mancheia?

Aos hinayanistas e aos mahayanistas

o caminho se ilumina
quando o eu
se esvazia por nós

alongamento
estique o ciático
até soltar pum!

agora, aqui
grata surpresa
a visita do colibri

não duvido
o som que sai da concha
salga o ouvido

imagem da meditação
hábito que faz habitar
uma segunda natureza

Ricardo Corona (1962) nasceu em Pato Branco, cidade próxima à tríplice fronteira Brasil-Argentina-Paraguai. Poeta e editor, tem atuado nas áreas de tradução, poesia, poesia sonora, publicação de artista, edição, performance, ensaio e curadoria de literatura e artes visuais. Em 2020, recebeu o prêmio **Reconhecimento de Trajetória** (1º lugar); também em 2020, o livro de haikus *Nuvens de bolso* recebeu o prêmio **Outras palavras**; e em 2011, com seu livro *Curare*, recebeu o prêmio **Petrobras** e, em 2012, foi finalista do **Jabuti**. É autor dos livros *Cinemaginário* (SP: Iluminuras, 1999; SP: Patuá, 2014), *Tortografia*, com Eliana Borges, (SP: Iluminuras, 2003; Curitiba: Medusa, 2003), *Corpo sutil* (SP: Iluminuras, 2005), *Amphibia* (Porto, Portugal: Cosmorama, 2009), *Curare* (SP: Iluminuras, 2011), *¿Ahn? [Abominable Hombre de las Nieves]* (Madri, Espanha: Poetas de Cabra Ediciones, 2012), *Ahn? [Abominável homem das neves]* (Jaraguá do Sul: Editora da Casa, 2012), *Cuerpo sutil* (Santiago de Querétano/México: Calygramma, 2014), *Mandrágora* (Ponta Porã: YiYi Jambo, 2016; Curitiba: Medusa, 2ª. edição ampliada, 2017) e *Morada do vazio* (SP: Iluminuras, 2023); e dos CDs de poesia *Ladrão de fogo* (Curitiba: Medusa, 2001) e *Sonorizador* (SP: Iluminuras, 2007; Curitiba: Medusa, 2007). Traduziu, em parceria com Joca Wolff, os livros *Momento de simetria* (Curitiba: Medusa, 2005) e *Máscara âmbar* (Bauru: Lumme Editor, 2008), ambos do poeta argentino Arturo Carrera;

traduziu *Livro deserto* (Curitiba: Medusa, 2014) e **Palavrarmais** (Curitiba: Medusa, 2017), ambos da poeta chilena Cecilia Vicuña; e *Retrato dos Meidosems*, do poeta belga-francês Henri Michaux (Florianópolis-Curitiba: Cultura e Barbárie-Medusa, 2022). Organizou as antologias *Outras praias* (SP: Iluminuras, 1997) e *Fantasma civil* (Curitiba: Medusa-Bienal Internacional de Curitiba, 2011). Participa de várias antologias, das quais, *Passagens*. Org. Ademir Demarchi. Curitiba: Imprensa Oficial do Paraná, 2002; *Na virada do século. Poesia de invenção no Brasil*. Org. Claudio Daniel e Frederico Barbosa. São Paulo: Editora Landy, 2002; *Cities of Chance: an Anthology of New Poetry from Brazil and the United States*. Org. Flávia Rocha e Edwin Torres. New York: Rattapallax, 2003; *Antologia comentada da poesia brasileira do século 21*. Org. Manuel da Costa Pinto. São Paulo: PubliFolha, 2006; *Haikai do Paraná*. Org. Rodrigo Afonso Schmidt e Tereza Hatue de Rezende. Curitiba: APAEX, 2018; *Uma espécie de cinema. Antologia de poemas poemas portugueses e brasileiros*. Org. Celia Pedrosa, et al. Rio de Janeiro: Oficina Raquel, 2019; *Uma pausa na luta*. Org. Manoel Ricardo de Lima. Rio de Janeiro: Mórula Editorial, 2020. Foi editor, junto com Eliana Borges, das revistas de poesia e arte **Medusa** (1998-2000), **Oroboro** (2004-2006) e **Canguru** (2017-2018); com Eliana Borges e Joana Corona, da revista de literatura e artes visuais **Bólide** (2012-2014) e com Eliana Borges,

Luana Navarro e Artur do Carmo, da revista de arte **Abrigo portátil** (2016). Depois de morar por uma década em São Paulo e mais três em Curitiba, mudou-se com sua parceira de vida e arte, Eliana Borges, para o Recreio da Serra, em Piraquara, na região metropolitana de Curitiba.

Nuvens de bolso foi composto na fonte Calibri, impresso sobre os papéis avena 80 gramas e supremo 250 gramas para a Editora Iluminuras, em São Paulo, SP, no inverno de 2023, há 307 anos do nascimento de Yosa Buson.